Mamie Poule ra...

Christine Beigel   Hervé Le Goff

Le **Loup**
qui aimait trop
les bonbons

Gautier • Languereau

Les petites
histoires
du soir

« Mamie Poule ! On peut avoir des bonbons ?

— Vous en avez déjà eu.

— Juste un tout petit. C'est trop bon, les bonbons.

— Ce n'est pas si bon que ça. Le loup vous le dira.
Ouvrez... pas la bouche, vos oreilles ! »

Matin, midi et soir, le loup croque des bonbons.
Fraises tsoin-tsoin des bois, sucettes pâquerettes,
susucres d'ogre, pommes d'amour-toujours...
Croc ! un bonbon par-ci.
Croc ! un bonbon par-là.
Miam ! Slurp ! Goinfr !

Bien évidemment, jamais le loup ne se lave les dents.
Et il a une de ces haleines... Dégoûgoû.

C'est l'heure du goûter.

Le gros bidon décide d'aller chez le petit cochon.

Inutile de vous dire que la dernière fois,

il a croqué sa maison en réglisse tire-bouchon.

Le petit cochon s'est échappé de justesse.

Le loup y est. Devant la nouvelle maison, en bois.

Il frappe à la porte, trois fois, toc, toc et toc.

« Qui c'est ?

– **Ton grand frère !** »

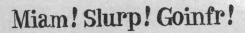

Miam! Slurp! Goinfr!

Le ventre du loup grossit à vue d'œil.
Et sa faim de bonbons aussi.
Plus il en mange, plus il en veut.

Là, il a envie d'un crocodile en gélatine.
Un vert, très précisément.
Il court jusqu'à la rivière et là...
Là, il en voit un **énorme** dans l'eau.
Et des bulles, des tas de bulles.
Parce que le croco a prouté,
mais faut pas le répéter.
Le loup va-t-il **le dévorer?**

Nan! Un bonbon croco prout, ça ne plaît pas au loup.

Maintenant, il a envie d'une barbe à mouton,
du pur susucre à son papa.
Vous n'imaginez même pas ce que le loup est prêt à faire
pour des bonbons.
Il se déguise en caniche, oui, c'est possible.

Et il y va.

Il se faufile au milieu d'un troupeau tout blanc.
Personne ne le reconnaît.

Il choisit un timoumou mignon trognon miamon... celui-là !
Il lui montre ses grandes dents pleines de caries et dit :
« Un bonbon ou la vie !
– Beurk ! »

Le timoumou est mort de rire.
Autant vous dire que le grand méchant
est vexé comme un pou.
On ne se moque pas du loup !

Furieux, il plante ses dents
dans la moumoute du petit malin. Et…
« **Ahou !** Qu'est-fe-que-f'est ? »
Plus de dents, le loup ! Perdues, les dents !
Tout ça à cause des bonbons.
Et d'un mouton… Ah ça non !

« **AHOUOUOUOUOUOU…** »

« Le loup a mangé le mouton, c'est ça Mamie ?

— Comment aurait-il pu ?

— Ben, avec un dentier, Mamie.

— Des dents de vampire,
tant que vous y êtes. Pas du tout !
Le mouton...

— Il a mangé le loup ?

— Mais non, il est bien trop gentil.
Il lui a offert une brosse à dents
pour quand ses dents auront repoussé. Un jour. Peut-être.

— **Hou hou hou !** Qui a peur du moulou-moulou,
c'est pas nous c'est pas nous !

— Ne faites pas les malins, le loup a été remplacé
par un autre coquin. Le grand méchant gnou.
Et lui, il déteste les sucreries.
Lui, il aime... Les petits poussins bien ronds
qui se gavent de bonbons !
Comme vous, mes lapins-garou ! »

Et si vous réclamez encore des bonbons, Mamie Poule raconte aussi...

La Vache qui voulait éteindre la lune

Le Pingouin qui avait froid aux pattes

Le Lion qui disait toujours NON !

L'Hippopotame qui avait le hoquet

La Souris qui rêvait de rencontrer le Père Noël

L'Ours qui voulait son doudou

Le Canari qui faisait pipi au nid

Le Crocodile qui avait peur de l'eau

Le Mouton qui n'arrivait pas à s'endormir

Le Koala qui disait des gros mots

Le Zèbre qui ne voulait pas aller à l'école

Le Panda qui avait des poux

Le Caméléon qui cherchait sa maman

En attendant le prochain bonbon, pour faire passer l'envie, pensez à

Des tontons de thon,
Des pompons de lapin lapon,
Des ronrons de chaton,
Des non-non de lion.

Directeur : Sarah Kœgler-Jacquet
Direction éditoriale : Brigitte Leblanc
Édition : Nathalie Marcus
Artistique : Solène Lavand
Mise en pages : Célia Gabilloux
Fabrication : Virginie Vassart-Cugini
Lecture-correction : Myriam Blanc

© 2013, Gautier-Languereau / Hachette Livre.
58, rue Jean Bleuzen – CS 70007 – 92178 Vanves
ISBN : 978-2-01-394241-6
Achevé d'imprimer en juin 2017.
Dépôt légal avril 2013 - édition 09.
Loi n°49-956 du 16 juillet 1949
sur les publications destinées à la jeunesse.
Imprimé en France par Pollina - 80689.

Le petit cochon ouvre.
Ben oui. Il est très bête.

« Un bonbon ou la vie ! »
dit le méchant qui pue des dents.
Tellement que le cochon tombe
dans les pommes.

Le loup en profite
pour lui voler **tous** ses bonbons.
Puis il s'enfuit dans les bois profonds.